François Krige

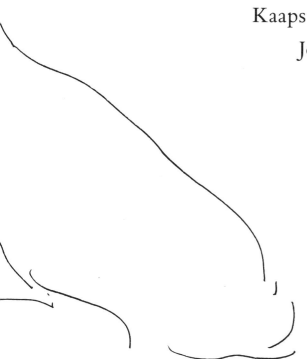

François Krige

Matthys Strydom

Human & Rousseau

Kaapstad   Cape Town

Johannesburg

FRANÇOIS KRIGE IS OP 20 JULIE 1993 GEPUBLISEER BY GELEENTHEID VAN DIE KUNSTENAAR SE TAGTIGSTE VERJAARDAG DEUR HUMAN & ROUSSEAU (EDMS.) BPK., STATEGEBOU, ROOSSTRAAT 3-9, KAAPSTAD

· ISBN 0 7981 3136 5

DIE TEKS IS GESET IN 13 OP 15 PUNT BEMBO EN DIE LITOGRAFIESE POSITIEWE VAN DIE TEKENINGE IS GEMAAK DEUR McMANUS, BLOEMSTRAAT, KAAPSTAD *FRANÇOIS KRIGE* IS GEDRUK OP 135 GVM DUKUZA MATT ART EN GEBIND DEUR NASIONALE BOEKDRUKKERY, GOODWOOD DIE BOEK IS ONTWERP DEUR CHÉRIE COLLINS

FRANÇOIS KRIGE WAS PUBLISHED ON 20 JULY 1993 ON THE OCCASION OF THE ARTIST'S EIGHTIETH BIRTHDAY BY HUMAN & ROUSSEAU (PTY) LTD, STATE HOUSE, 3-9 ROSE STREET, CAPE TOWN

ISBN 0 7981 3136 5

THE TEXT WAS TYPESET IN 13 ON 15 POINT BEMBO AND THE LITHOGRAPHIC POSITIVES OF THE DRAWINGS WERE MADE BY McMANUS, BLOEM STREET, CAPE TOWN *FRANÇOIS KRIGE* WAS PRINTED ON 135 GSM DUKUZA MATT ART AND BOUND BY NATIONAL BOOK PRINTERS, GOODWOOD THE BOOK WAS DESIGNED BY CHÉRIE COLLINS

Omslagtekening/Cover drawing: Naakfiguur/Nude. Pen en ink/Pen and ink. 26 x 18 cm, 1964.
Tekening op bl. ii/Drawing on p ii: 1. Naakstudie/Nude study. Pen en ink/Pen and ink. 22 x 26 cm, 1963.
Tekening op bl. vi/Drawing on p vi: 2. By die put, Paternoster/The well, Paternoster. Pen en ink/Pen and ink. 25 x 18 cm, 1951.

"Ek het ontdek dat wat ek nie geteken het nie, ek nog nooit regtig gesien het nie en dat sodra ek begin om iets alledaags te teken, ek besef hoe besonders dit is, 'n wonderwerk."

FREDERICK FRANCK

"I have learnt that what I have not drawn, I have never really seen, and that when I start drawing an ordinary thing, I realise how extraordinary it is, sheer miracle."

FREDERICK FRANCK

Inleiding

François Krige is bestempel as een van Suid-Afrika se mees begaafde tekenaars, en hierdie boek ter viering van sy tagtigste verjaardag is 'n poging om sy kuns vir meer mense toeganklik te maak. Al die tekeninge wat afgedruk word, is in die kunstenaar se private versameling.

Dit pas my dat Krige nie 'n akademiese betoog oor sy tekenkuns wil hê nie. Die tekeninge is immers in staat om self die praatwerk te doen – solank die kyker net besef dat sy estetiese waarneming geskied in die lig van sy bestaande kennis, en dat hy slegs gaan raaksien dit waarvoor hy ontvanklik is, danksy sy ondervinding.

Daar word nie genoeg ophef van Suid-Afrikaanse kunstenaars se tekeninge gemaak nie. Miskien is dit hoog tyd dat iemand met genoeg durf 'n oorsigtentoonstelling van Suid-Afrikaanse tekeninge saamstel. Dit sal 'n openbaring wees, en wat 'n wonderlike boek kan die katalogus vir so 'n uitstalling nie wees nie!

Goethe, 'n liefhebber van die tekenkuns, het in een van sy gesprekke met sy assistent Johann Eckermann gesê: ". . . tekeninge is van onskatbare waarde, nie net omdat hulle die kunstenaar se bedoeling die suiwerste oordra nie, maar ook omdat hulle sy gemoedstoestand tydens die skeppingsmoment openbaar."

Die bemeestering van die tekentegniek is natuurlik van groot waarde vir enigiemand wat dit beoefen. Die opskerping van die waarnemingsvermoë, die stimulering van kreatiwiteit en die aankweek van oog-hand-koördinasie en vaardig-

Introduction

François Krige has been described as one of South Africa's most gifted draughtsmen, and this book, published in celebration of his eightieth birthday, is an attempt to bring his art closer to many more people. All the drawings reproduced here are from the artist's own collection.

Krige prefers not to have an academic treatise on his draughtmanship. Furthermore, the drawings are clearly capable of speaking for themselves – as long as the viewer realises that his aesthetic observation takes place within the framework of what he knows, and that he will perceive only that to which his experience makes him receptive.

Sadly, not enough prominence is given to the drawings of South African artists. Perhaps the time has come for someone with enough courage to assemble a retrospective exhibition of South African drawings. This would be an eye-opener, and what a wonderful book the catalogue for such an exhibition would be!

Goethe, a lover of the graphic arts, said in one of his conversations with his assistant Johann Eckermann: ". . . drawings are invaluable, not only because they give, in its purity, the mental intention of the artist, but because they bring immediately before us the mood of his mind at the moment of creation."

Mastering the technique of drawing is also of great benefit to anyone who practises it. As it sharpens perception, stimulates creativity and exercises coordination between eye and hand, it is valuable in all

heid is op enige gebied 'n bate. Daarom hoop ek dat hierdie boek baie mense sal inspireer om self ook te probeer teken. Prof. Jan Bonsma, wêreldberoemde vee-kundige en medeskepper van Suid-Afrika se vleisbeesras die Bonsmara, het gesê die kunslesse wat hy onder dwang op onder-wyserskollege moes neem, het van die waardevolste bydraes tot sy ontwikke-ling as wetenskaplike gelewer. Die te-kenklasse het nie van hom 'n kunstenaar gemaak nie, maar dit het hom geleer waarneem en skeppend dink. Dit is eers wanneer 'n mens probeer om iets te teken dat jy ontdek hoe oppervlakkig jy voor-heen daarna gekyk het.

François Krige is 'n baie beskeie mens. Dit spreek uit sy tekeninge – hulle is een-voudig en onopgesmuk, maar getuig van 'n buitengewone waarnemingsvermoë en vaardigheid.

Paul Emsley, wat self 'n bewese en gerespekteerde tekenaar is, het in 'n persoonlike mededeling gesê: "François Krige se tekeninge het lankal my aandag getrek. Ek was beïndruk deur sy integri-teit van benadering en tegniek. Daar is niks pretensieus of sensasioneels nie. Eksperimentering vind wel plaas en dui op verskillende invloede, maar deurentyd is daar 'n respek vir die vorms wat ge-teken word. Krige is een van die min kunstenaars wat 'n tradisie van sensi-tiewe realisme voortgesit het toe dit nie meer mode was nie."

Volgens Albert Werth, gewese direk-teur van die Pretoria-kunsmuseum, is Krige "ongetwyfeld een van Suid-Afrika se mees begaafde tekenaars, en sy teken-kuns vertoon 'n groot verskeidenheid. Hierdie tekenvaardigheid kom ook in sy skilderye na vore waar 'n sterk liniêre ele-ment dikwels oorheers."

fields. I hope therefore that this book will also inspire many people to try their hand at drawing. Professor Jan Bonsma, world-renowned livestock scientist and one of the originators of the Bonsmara cattle breed, maintained that the art lessons which he was forced to take in teachers' college played a major role in his devel-opment as a scientist. Those drawing classes did not turn him into an artist, but they taught him how to observe and to think creatively. It is only in attempting to draw something, that one discovers how superficial one's previous obser-vations have been.

François Krige is a man of great mod-esty. This emanates from his drawings – they are plain and unassuming, yet reveal an unusual faculty for perception and great skill.

Paul Emsley, an accepted and re-spected draughtsman in his own right, said to me: "François Krige's drawings have long attracted my attention. I was impressed by the integrity of his ap-proach and technique. There is nothing pretentious or sensational. There has been experimentation, indicating various influences, but throughout there is great respect for the forms being drawn. Krige is one of the few artists who has main-tained a tradition of sensitive realism long after it has gone out of fashion."

According to Albert Werth, former director of the Pretoria Art Museum, Krige is "undoubtedly one of South Africa's most gifted artists, and his draughtsmanship reveals great variety. This graphic ability is also apparent in his paintings, where a strong linear element often predominates."

Other experts have expressed them-selves as follows on Krige's art:

Ander kenners se menings oor Krige se kuns is:

Harold Jeppe (*Suid-Afrikaanse kunstenaars, 1900-1962*, Afrikaanse Pers Boekhandel, 1964): "Min kunstenaars het die vermoë om, soos François Krige, met 'n minimum van lyn soveel te vertolk."

Prof. Hans Trümpelmann (*Ons kuns 2*, S.A. Vereniging vir die Bevordering van Kennis en Kultuur, 1961): "Hy besit buitengewone vaardigheid om met enkele, suggestiewe lyne 'n hele figuur of 'n tafereel voor ons oë te tower . . . 'n mens staan dikwels verbaas hoeveel hy met die geringste middele kan bereik."

A.C. Bouman (*Painters of South Africa*, HAUM, 1948): "Baie van sy ink- of kryttekeninge suggereer tekstuur, volume en kleur op 'n meer subtiele manier as verf."

Krige is kennelik op sy beste in dié tekeninge wat ooglopend vinnig en met 'n seker hand geskets is, waar die suggestiewe en gebroke lyn die kyker kreatief betrek, waar 'n mens intuïtief met jou verbeelding die oop plekke invul met beweging, met lig of skadu, of met wat ook al gesuggereer word.

Hierin, dink ek, is 'n sterk invloed van die Japannese tekenkuns te bespeur. Die invloed van Japannese kuns op Europa is 'n interessante verskynsel. Na twee eeue van isolasie het Japan teen die middel van die negentiende eeu vir die Weste toeganklik geword, en wedersydse handel en kultuurkontak het begin. Dit het daartoe gelei dat Japan aan internasionale kunstentoonstellings begin deelneem het. Die invloed van hierdie ontwikkeling op kunstenaars soos Van Gogh, Toulouse-Lautrec, Vallotton, Gauguin, Manet, Monet, Pissarro, Klimt en vele ander was verstommend. Dit is ook duidelik sigbaar in Suid-Afrikaanse kuns, en verklaar by-

Harold Jeppe (*South African artists, 1900-1962*, Afrikaanse Pers Boekhandel, 1964): "Few artists have François Krige's ability of interpreting so much with such economy of line."

Professor Hans Trümpelmann (*Ons kuns 2*, S.A. Association for the Advancement of Knowledge and Culture, 1961): "He has the unusual facility of conjuring up a whole figure or scene in front of our eyes, using only a few evocative lines . . . one is often astonished at how much he achieves with the slenderest of means."

A.C. Bouman (*Painters of South Africa*, HAUM, 1948): "Many of his drawings in ink or crayon suggest texture, substance and colour in a subtler way than the cruder use of paint."

Krige is clearly at his best in those drawings which have been sketched quickly and with a sure hand, where the evocative, interrupted line creatively involves the viewer, where one intuitively has to imagine the open spaces as being filled with movement, light or shade, or with whatever is being suggested.

In this, I think, a strong influence of the Japanese art of drawing can be seen. The influence of Japanese art on Europe is an interesting phenomenon. After two centuries of isolation, Japan became more accessible to the West after the middle of the nineteenth century. Two-way trade and cultural contact flourished. This also led to the participation of Japan in international art exhibitions. The influence of this development on artists such as Van Gogh, Toulouse-Lautrec, Vallotton, Gauguin, Manet, Monet, Pissarro, Klimt and many others was quite astonishing. It is also to be seen in South African art, and explains, for instance, why Gregoire Boonzaier has one of the largest collec-

voorbeeld waarom Gregoire Boonzaier vandag een van die grootste versamelings Japannese houtsneedrukke in Suid-Afrika het. Die ekonomie van lyn en die betekenisvolheid van oop plekke in François Krige se beste tekeninge is ongetwyfeld deels te danke aan die Japannese tekenkuns.

Oorlog was sedert prehistoriese tye 'n inspirasie vir kunstenaars. Dink maar aan die "Boogskutters van Tassili", 'n rotstekening in die Sahara wat dateer van omstreeks 3500 v.C., aan Leonardo da Vinci se meesterlike uitbeelding van "die mees dierlike waansin" in sy skildery "Die slag van Anghiari" en aan Diego Velasquez se "Die oorgawe van Breda" waarvan Otto von Simson geskryf het: "Dit is dalk die beste voorstelling van 'n historiese gebeurtenis in Westerse kuns . . . Selfs die beroemdste geskiedkundige was nie in staat om dit meer treffend vas te vang nie . . ." Voor die koms van fotografie is kunstenaars se hulp ingeroep om gebeure te dokumenteer en vir propaganda. Hulle het sulke aanstellings seker aanvaar vir die avontuur, of om patriotiese of finansiële redes. Hoekom Krige hom daarin begewe het, weet ek nie, maar sy ervarings in Noord-Afrika tydens die Tweede Wêreldoorlog het sy tekenkuns beslis bevorder en sy vermoë om skerp te kyk en dan met 'n vlugge hand op papier slegs die noodsaaklike aan te dui verder opgeskerp.

Paul Emsley het enkele interessante opmerkings gemaak oor van die tekeninge in die versameling wat hier byeengebring word. "Dit wil voorkom of die sterkste invloede van die Post-Impressionisme gekom het, maar Krige integreer dit met die voorafgaande tradisie van realisme. Die vloeiende dekoratiewe lyn in landskappe soos 'Thamalakane-rivier naby Maun'

tions of Japanese wood-block prints in South Africa. The economy of line and the significance of empty areas in Krige's best drawings are clearly due in part to the Japanese art of drawing.

Since prehistoric times war has inspired artists. Think of the "Archers of Tassili", a Saharan rock painting dating from ca. 3500 B.C., of Leonardo da Vinci, who gave a masterful rendering of "the most beast-like madness" in his painting "The Battle of Anghiari", and of Diego Velasquez's "The Surrender of Breda", of which Otto Von Simson wrote: "This is perhaps the greatest presentation of an historical event in Western Art . . . Even the greatest historian has not been able to capture the event more vividly . . ." Before the advent of photography artists were used for documentation and propaganda. Artists must have accepted these commissions out of a sense of adventure, or for patriotic or financial reasons. Why Krige ventured into this field, I don't know, but it is clear that his experiences in North Africa in the Second World War improved his drawing skills and sharpened his ability to observe acutely and then to render rapidly only the essentials on paper.

Paul Emsley made some interesting remarks about the drawings in the collection brought together here: "It appears as if the strongest influences came from Post-Impressionism, although Krige integrates these with the preceding realistic tradition. The flowing decorative line in landscapes such as 'Thamalakane River near Maun' [53] and 'Fig tree on the bank of the Chobe River' [46], as well as in his animal studies such as 'Klipspringer' [35] and 'Loading a donkey in the Cedarberg' [20] are reminiscent of the work of Paul

[53] en 'Vyeboom op die oewer van die Chobe-rivier' [46], asook dierestudies soos 'Klipspringer' [35] en ''n Pakdonkie word gelaai, Sederberg' [20], herinner 'n mens aan die werk van Paul Signac. Laasgenoemde twee tekeninge, asook ander dieresketse soos 'Bloukraanvoël' [41], 'Rustende leeuwyfie' [37] en 'Njala' [36], toon 'n kompromie tussen die breëvlak dekoratiewe lyn van die Post-Impressionisme en die tradisionele uitbeelding van driedimensionele vorm deur die gebruik van lig en skadu. In sy figuurstudies sien 'n mens die invloed van Augustus John en Matisse (byvoorbeeld 'Vrou en kind, Paternoster' [59], 'Naakstudie' [1] en 'Naakfiguur' [omslag]). Hier word 'n vloeiende, gebroke lyn gebruik wat lig en skadu aandui sonder om dit uit te spel. Die eienskappe van hierdie benadering word nooit toegelaat om die anatomiese korrektheid te oorweldig nie."

François Krige se tekeninge maak dit vir ons almal soveel interessanter om mens te wees. Ons sê dit graag vir hom, juis by geleentheid van sy tagtigste verjaardag.

Matthys Strydom

Signac. The latter two, as well as other animal drawings such as 'Blue crane' [41], 'Resting lioness' [37] and 'Nyala' [36], indicate a compromise between the broad-planal decorative line of Post-Impressionism and the traditional rendering of three-dimensional form by means of light and shadow. In his figure studies one sees the influence of Augustus John and Matisse (for example 'Woman and child, Paternoster' [59], 'Nude study' [1] and 'Nude' [cover]). A flowing yet broken line is used, indicating light and shade without stating it explicitly. The nature of this approach is never allowed to predominate over anatomical correctness."

Thanks to François Krige's drawings life has become that much more interesting. This is what we would like to tell him, especially on the occasion of his eightieth birthday.

Matthys Strydom

'n Kort lewenskets

A brief biography

François Krige is op 20 Julie 1913 op Uniondale gebore. Sy vader was die bekende Springbok-rugbysenter Japie Krige. Sy moeder, Sannie Uys, was 'n skryfster.

Hy het op Stellenbosch skoolgegaan, waar hy tekenlesse van Ruth Prowse, kuratrise van die Michaelis-versameling in Kaapstad, ontvang het.

Krige het hom in 1928 by die Michaelis-kunsskool in Kaapstad ingeskryf en het onder meer H.V. Meyerowitz se beeldhouklasse bygewoon.

Daarna is hy na Johannesburg, waar hy in 1934 'n prys geborg deur Victor Kark in 'n skilderkompetisie gewen het. Die prys was £450 werd en daarmee kon hy drie jaar lank in Europa bly. Hy het België, Holland, Duitsland, Spanje en Italië besoek. Van sy interessantste ervarings in Spanje, waar hy hom by sy broer, die skrywer Uys Krige, aangesluit het, word kostelik vertel in Uys se boek *Sol y sombra* wat François geïllustreer het.

Tydens sy oorsese verblyf het Krige die etskuns aan die Hogere Instituut Voor Schone Kunsten by die Koninklijke Academie in Antwerpen bestudeer.

Hy het in 1937 na Suid-Afrika teruggekeer, spoedig lid geword van die Nuwe Groep en was verteenwoordig op dié groep se eerste tentoonstelling, wat op 4 Mei 1938 in Kaapstad geopen is. Die ander kunstenaars wie se werk op hierdie geskiedkundige tentoonstelling vertoon is, was Walter Battiss, Gregoire Boonzaier, Enslin du Plessis, Renée Graetz, Maurice Hughes, Moses Kottler, Rhoda Kussel, Lippy Lipshitz, Freida Lock, Te-

François Krige was born in Uniondale on 20 July 1913. His father was the famous Springbok rugby centre Japie Krige. His mother, Sannie Uys, was a writer.

He went to school in Stellenbosch where he took drawing lessons with Ruth Prowse, who was then curator of the Michaelis Collection in Cape Town.

During 1928 Krige enrolled at the Michaelis School of Fine Art in Cape Town, where he attended H.V. Meyerowitz's sculpture classes among others.

He went to Johannesburg where in 1934 he won a prize in a painting competition sponsored by Victor Kark. The prize of £450 enabled him to spend three years in Europe and to visit Belgium, Holland, Germany, Spain and Italy. Some of his interesting experiences in Spain, where he joined his brother Uys, are amusingly recounted by Uys Krige in his book *Sol y sombra*, which was illustrated by François.

While overseas Krige studied etching at the Higher Institute for Fine Arts at the Royal Academy in Antwerp.

He returned to South Africa in 1937, soon became a member of the New Group and was represented on their first exhibition in Cape Town on 4 May 1938. The other artists who were shown at this historic exhibition were Walter Battiss, Gregoire Boonzaier, Enslin du Plessis, Renée Graetz, Maurice Hughes, Moses Kottler, Rhoda Kussel, Lippy Lipshitz, Freida Lock, Terence McCaw, Joyce Ord-Brown, Charles Peers, Jeanette Pope-Ellis, Alexis Preller, Graham Young and Florence Zerffi.

rence McCaw, Joyce Ord-Brown, Charles Peers, Jeanette Pope-Ellis, Alexis Preller, Graham Young en Florence Zerffi.

Van 1941 tot 1945, tydens die Tweede Wêreldoorlog, was hy 'n amptelike oorlogkunstenaar saam met Neville Lewis, Geoffrey Long, Philip Bawcombe, Ben Burrage, Terence McCaw en Gordon Taylor, en het in Noord-Afrika gedien.

Die erepenning vir skilder- en grafiese kuns van die Suid-Afrikaanse Akademie vir Wetenskap en Kuns is in 1949 aan Krige toegeken.

In 1963 het hy weer 'n jaar in Engeland, Egipte, Griekeland en Italië deurgebring, en in 1969 was hy in Engeland, Noorweë, Denemarke, Duitsland, Portugal en Frankryk.

In 1990 is hy na Amsterdam om die Van Gogh-tentoonstelling by te woon en is daarna na Londen en Parys.

Krige het 'n groot liefde vir die natuur, is 'n geesdriftige stapper en 'n lid van die Worcester-bergklub. In 1939 het hy die Maluti-berge besoek saam met McCaw en Battiss. Hy het hom in 1966 op Montagu gevestig en besoek dikwels die Sederberg en die Drakensberg.

From 1941 to 1945, during the Second World War, he was an official war artist, with Neville Lewis, Geoffrey Long, Philip Bawcombe, Ben Burrage, Terence McCaw and Gordon Taylor, and served in North Africa.

In 1949 the South African Academy for Science and Arts awarded Krige its medal of honour for painting and graphic art.

In 1963 he again spent a year in England, Egypt, Greece and Italy. In 1969 he visited England, Norway, Denmark, Germany, France and Portugal.

In 1990 he went to Amsterdam to see the Van Gogh retrospective exhibition and then went to London and Paris.

Krige has a great love of nature, is a keen hiker and a member of the Worcester Mountain Club. In 1939 he went to the Maluti Mountains with McCaw and Battiss. He has been living in Montagu since 1966 and often visits the Cedarberg and the Drakensberg.

Uitstallings

1936 – Rykstentoonstelling, Johannesburg
1938 – Eerste tentoonstelling van die Nuwe Groep, Kaapstad
1948 – Buitelandse tentoonstelling van Suid-Afrikaanse kuns, Tate-galery, Londen, en elders
1952 – Van Riebeeckfees-tentoonstelling, Kaapstad
 – Venesiese Biënnale
1960 – Tweede vierjaarlikse tentoonstelling van Suid-Afrikaanse kuns
1966 – Republiekfees-tentoonstelling, Pretoria
1978/9 – Reisende tentoonstelling van Suid-Afrikaanse grafiese kuns, Wes-Duitsland

Verskeie solotentoonstellings in Suid-Afrika

Exhibitions

1936 – Empire Exhibition, Johannesburg
1938 – First exhibition of the New Group, Cape Town
1948 – Overseas exhibition of South African art, Tate Gallery, London, and elsewhere
1952 – Van Riebeeck Festival Exhibition, Cape Town
 – Venice Biennale
1960 – Second Quadrennial Exhibition of South African Art
1966 – Republic Festival Exhibition, Pretoria
1978/9 – Travelling exhibition of South African Graphic Art, West Germany

Several one-man exhibitions in South Africa

Openbare versamelings

Suid-Afrikaanse Nasionale Kunsmuseum, Kaapstad
Johannesburgse Kunsmuseum
William Humphreys-galery, Kimberley
Oliewenhuis-kunsmuseum, Bloemfontein
Hester Rupert-museum, Graaff-Reinet
Kunsstigting Rembrandt van Rijn, Stellenbosch
Pretoria-kunsmuseum
Julius Gordon Africana-sentrum, Riversdal
Suid-Afrikaanse Akademie vir Wetenskap en Kuns
Universiteit van die Oranje-Vrystaat, Bloemfontein
Universiteit van Pretoria

Public collections

South African National Gallery, Cape Town
Johannesburg Art Gallery
William Humphreys Gallery, Kimberley
Oliewenhuis Art Museum, Bloemfontein
Hester Rupert Museum, Graaff-Reinet
Rembrandt Van Rijn Art Foundation, Stellenbosch
Pretoria Art Museum
Julius Gordon Africana Centre, Riversdale
South African Academy for Science and Arts
University of the Orange Free State, Bloemfontein
University of Pretoria

Boeke geïllustreer

Sol y sombra – Uys Krige (J.L. van Schaik, Pretoria, 1948)

In South Africa – Francis Brett Young (William Heinemann, Londen, 1952)

Jaffie – Eitemal (A.A. Balkema, Kaapstad, 1953)

Their secret ways – V. Pohl (Oxford University Press, 1960)

Witwyne van Suid-Afrika – W.A. de Klerk (A.A. Balkema, Kaapstad, 1967)

Agarop, kind van die duine – J.J. van der Post (Tafelberg-uitgewers, Kaapstad, 1963)

Gaub, vlugteling van die duine – J.J. van der Post (Tafelberg-uitgewers, Kaapstad, 1963)

Books illustrated

Sol y sombra – Uys Krige (J.L. Van Schaik, Pretoria, 1948)

In South Africa – Francis Brett Young (William Heinemann, London, 1952)

Jaffie – Eitemal (A.A. Balkema, Cape Town, 1953)

Their secret ways – V. Pohl (Oxford University Press, Cape Town, 1960)

Witwyne van Suid-Afrika – W.A. de Klerk (A.A. Balkema, Cape Town, 1967)

Agarop, kind van die duine – J.J. van der Post (Tafelberg Publishers, Cape Town, 1963)

Gaub, vlugteling van die duine – J.J. van der Post (Tafelberg Publishers, Cape Town, 1963)

3. Swart kat/Black cat. Kryt/Crayon. 18 x 26 cm, 1982.

4. Kafeetoneel, Luxor/Café scene, Luxor. Pen en ink/Pen and ink. 17 x 26 cm, 1943.

5. Man wat hoender pluk/Man plucking a chicken. Pen. 36 x 27 cm, 1951.

6. Benji. Houtskool/Charcoal. 33 x 24 cm, 1986.

7. Ou man met wandelstok/Old man with staff. Houtskool/Charcoal. 62 x 50 cm, 1978.

8. Sannie Uys. Ets/Etching. 19 x 10 cm, 1940.

François Ange 73

9. Portret van 'n jong meisie/Portrait of a young girl. Potlood/Pencil. 53 x 35 cm, 1973.

10. Basotho van Mokhotlong/Basotho from Mokhotlong.
    Potlood/Pencil. 32 x 20 cm, 1946.

11. Eulalia. Potlood/Pencil. 31 x 23 cm, 1943.

12. Plaas in Algarve/Farm in Algarve. Pen. 26 x 36 cm, 1970.

13. Gids in die Sederberg/Guide in the Cedarberg. Kwas/Brush. 27 x 22 cm, 1953.

14. James Joubert, Sederberg/Cedarberg. Conté. 47 x 30 cm, 1958.

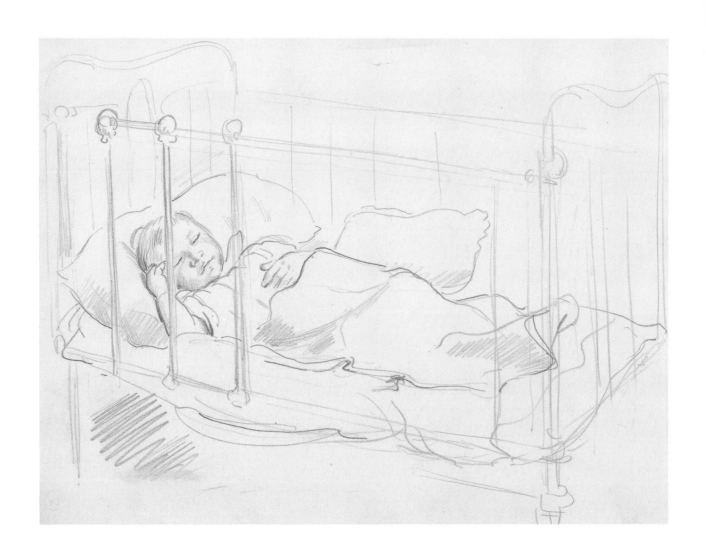

15. Kind in bababed/Child in cot. Potlood/Pencil. 18 x 24 cm, 1943.

16. Meisie met kind/Girl with child. Pen en ink/Pen and ink. 30 x 21 cm, 1936.

17. Man slaap op 'n riksja/Man sleeps on a ricksha. Potlood/Pencil. 17 x 24 cm, 1939.

18. Mans by vuurblik/Men at brazier. Conté. 15 x 24 cm, 1939.

19. Perdekar/Horse-cart. Ink en waterverf/Ink and wash. 15 x 20 cm, 1965.

20. 'n Pakdonkie word gelaai, Sederberg/Loading a donkey in the Cedarberg. Conté. 22 x 25 cm, 1962.

21. Stasie, Swakopmund/Station, Swakopmund. Potlood/Pencil. 26 x 41 cm, 1982.

Swakopmund Stasie 82

22. Die jagter/The hunter. Kryt/Crayon. 26 x 37 cm, 1957.

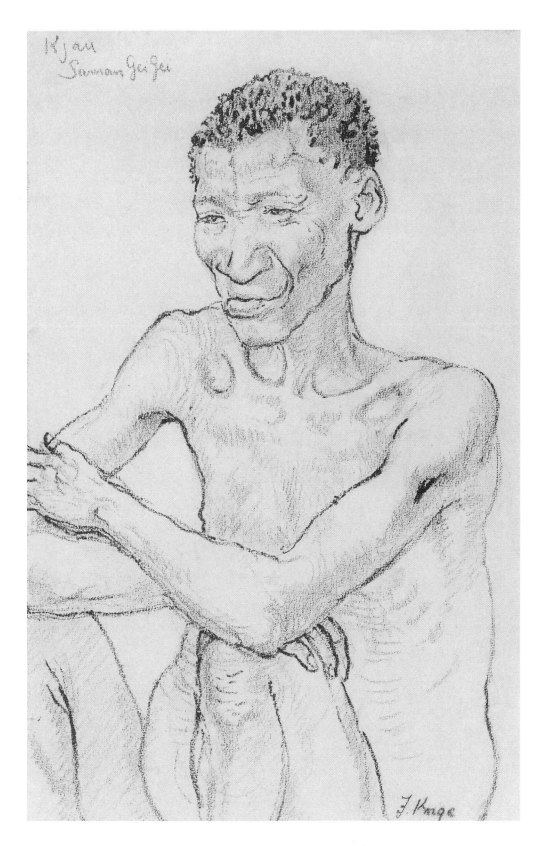

23. Ou !Kung-Boesman, Namibië/Old !Kung Bushman, Namibia.
Conté. 46 x 30 cm, 1957.

24. Boesmanvrou met kind/Bushman woman with child. Kryt/Crayon. 39 x 29 cm, 1968.

25. Jong meisie met mus/Young girl with cap. Potlood/Pencil. 47 x 31 cm, 1976.

26. Meisie wat mielies stamp/Girl pounding mealies.
     Conté. 34 x 24 cm, 1960.

27. Boesmanmeisie wat koring maal/Bushman girl grinding wheat. Conté.
40 x 28 cm, 1968.

28. Bakwena-musikant/Bakwena musician. Pen en ink/Pen and ink.
     48 x 33 cm, 1962.

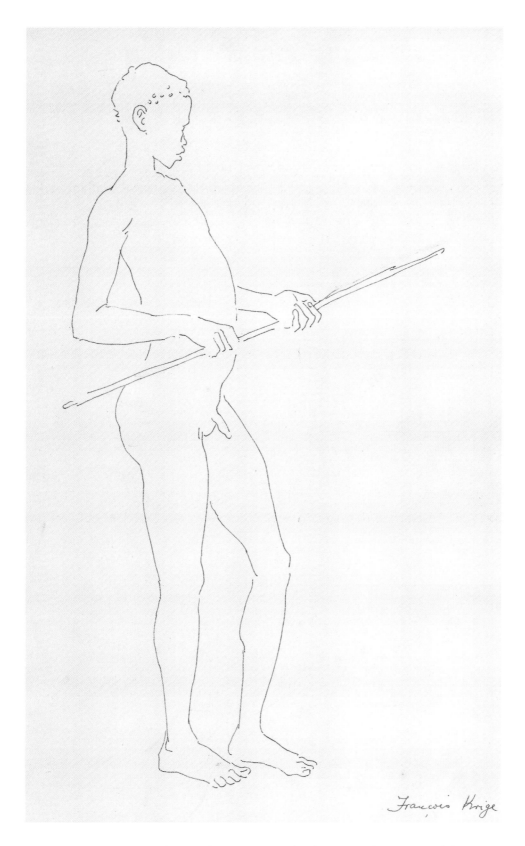

Francois Krige

29. Boesmanseun met lat/Bushman boy with playing stick. Pen en ink/Pen and ink. 50 x 34 cm, 1968.

30. Vissersvloot, Lüderitz/Fishing fleet, Lüderitz. Kwas/Brush. 34 x 48 cm, 1978.

François Krige
Lüderitz 1978

Saman Geigei
Francois Krige

31. Groep Boesmanvroue/Group of Bushman women. Pen. 26 x 45 cm, 1957.

32. Boesmans skraap 'n vel/Bushmen scrape a skin. Pen. 24 x 32 cm, 1957.

33. Boesmanseuntjie met pyl en boog/Bushman boy with bow and arrow. Conté. 22 x 30 cm, 1957.

34. Kraai/Crow. Houtskool/Charcoal. 18 x 26 cm, 1976.

35. Klipspringer. Conté. 19 x 23 cm, 1978.

36. Njala/Nyala. Kryt/Crayon. 20 x 28 cm, 1981.

37. Rustende leeuwyfie/Resting lioness. Conté. 18 x 24 cm, 1978.

38. Wildsbokke/Antelope. Conté. 20 x 28 cm, 1981.

39. Albufeira, Portugal. Pen. 23 x 32 cm, 1970.

Albufeira.
Portugal
Kruse

Johage

40. Ibis. Conté. 20 x 28 cm, 1985.

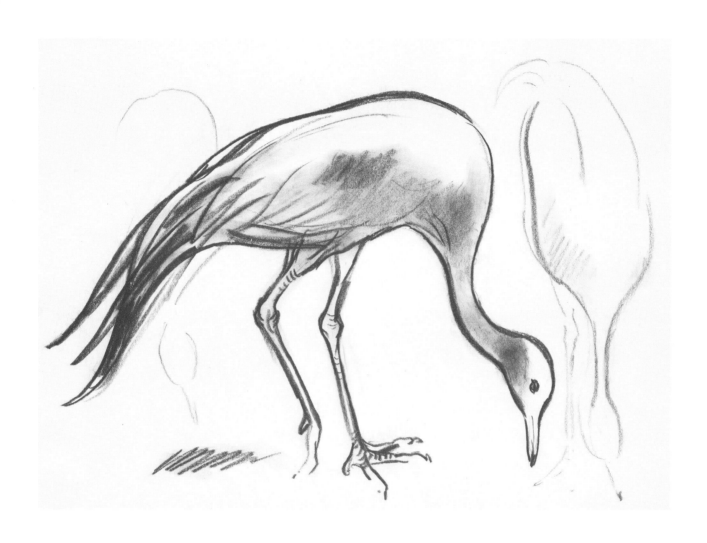

41. Bloukraanvoël/Blue crane. Conté. 20 x 28 cm, 1982.

42. Slapende vark in deuropening/Sleeping pig in doorway. Conté. 37 x 27 cm, 1980.

43. Bokke en skape/Goats and sheep. Conté. 26 x 35 cm, 1992.

44. Landskap in Beiere/Landscape in Bavaria. Ets/Etching. 12 x 16 cm, 1937.

45. Visser op die Arno/Fisherman on the Arno. Ets/Etching. 15 x 18 cm, 1937.

46. Vyeboom op die oewer van die Chobe-rivier/Fig tree on the bank of the Chobe River. Pen en ink/Pen and ink. 29 x 41 cm, 1972.

47. Ontwortelde kameeldoring/Uprooted camelthorn. Potlood/Pencil. 37 x 49 cm, 1982.

48. Skeepstimmerman, Paternoster/Boat builder, Paternoster. Pen en ink/Pen and ink. 25 x 37 cm, 1951.

49. Kokerbome en plaas, Namibië/Aloes and farm, Namibia. Ink. 34 x 47 cm, 1960.

50. Palmbome by Goanikontes, Namibië/Palm trees at Goanikontes, Namibia. Kryt/Crayon.
    35 x 48 cm, 1982.

51. Voetbrug oor die Tra-trarivier/Bridge across the Tra-tra River. Viltpen/Felt pen. 35 x 50 cm, 1989.

52. Taagrivier by Sevilla/Tagus River at Seville. Pen. 33 x 46 cm, 1970.

53. Thamalakane-rivier naby Maun/Thamalakane River near Maun. Viltpen/Felt pen. 25 x 35 cm, 1972.

54. Vissersbote, Houtbaai/Fishing boats, Hout Bay. Potlood/Pencil. 20 x 26 cm, 1951.

55. Ou vrou wat lees/Old woman reading. Ink en waterverf/Ink and wash. 34 x 24 cm, 1939.

56. Mans met koekepanne/Men with cocopans. Ink en waterverf/Ink and wash. 36 x 27 cm, 1939.

57. Portret van 'n ou man/Portrait of an old man. Potlood/Pencil. 48 x 35 cm, 1935.

58. Portret van 'n jong man/Portrait of a young man. Pen. 21 x 15 cm. 1936.

59. Vrou en kind, Paternoster/Woman and child, Paternoster. Pen. 36 x 26 cm, 1951.

60. Visser wat sy boot verf/Fisherman painting his boat. Potlood/Pencil. 17 x 26 cm, 1950.

61. Jong meisie/Young girl. Ets/Etching. 15 x 10 cm. 1976.